D1643987

C'EST MOI L'ESPION

DU PARC D'ATTRACTIONS

DES PHOTO-MYSTÈRES

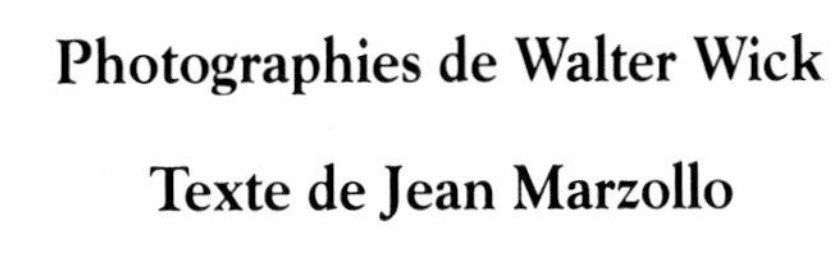

Photographies de Walter Wick

Texte de Jean Marzollo

Texte français de Lucie Duchesne

Les éditions Scholastic

À ma soeur, Jenny

W. W.

À Danny, David et Claudio

J. M.

Conception graphique de Carol Devine Carson

Données de catalogage avant publication (Canada)

Wick, Walter
C'est moi l'espion du parc d'attractions

Traduction de : I spy fun house.
ISBN 0-590-24081-1

1. Jeux à images — Ouvrages pour la jeunesse.
I. Marzollo, Jean. II. Titre.

GV1507.P47W5214 1993 J793.73 C93-094251-5

Édition publiée par Les éditions Scholastic,
175, Hillmount Road, Markham (Ontario) Canada L6C 1Z7

5 4 3 2 Imprimé aux États-Unis 9/9 0 1 2 3 4/0

Table des matières

Ballons à vendre	8
Le clown qui rit	10
La maison des miroirs	12
L'orchestre du cirque	14
Le labyrinthe aux miroirs	16
Le magicien	18
La loge des clowns	20
Les marionnettes	22
Le goûter	24
Le repaire des monstres	26
Qu'est-ce qu'on gagne?	28
Dans l'entrepôt	30
Sur la promenade	32

Je cherche un éventail, cinq bateaux blancs, une baleine et un cerf-volant;

un goéland, une botte, les yeux d'un hibou,
un bourdon et huit papillons fous.

Je cherche un homme au casque jaune, un mirliton, une pomme, une pelle et une cravate autour du cou d'un homme;

deux sifflets, une cloche à vache, une horloge, une trompette, un banjo, un clown photographe et une raquette.

Je cherche une pince à linge, un cheval sans cavalier,
des ciseaux, un sifflet et une araignée;

une bobine de fil, une cerise sur un cornet,
un renard à l’envers et une étoile sur un billet.

Je cherche un banjo, une coccinelle,
une couronne et une capsule de bouteille;

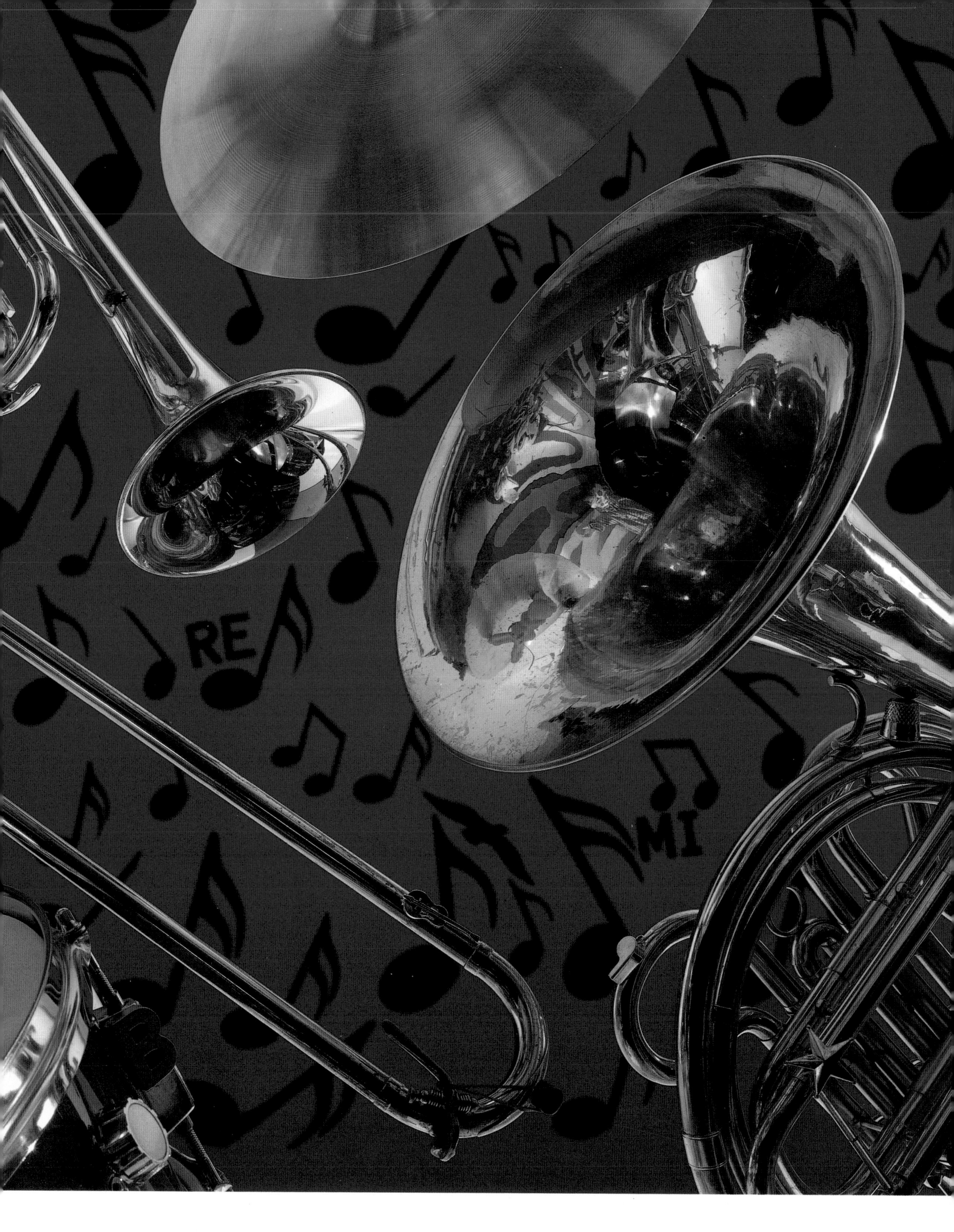

un B, trois dés à coudre, un bouton,
un cadenas, DO RE MI et un poisson.

Je cherche un clown avec un phoque, un pingouin rigolo,
un canard, une girafe et un veau;

deux épées rouges suspendues, une autruche, un papillon, une grande roue et un clown avec deux ballons.

Je cherche une chaussure, un valet de carreau;
une pièce de monnaie magique et un seau.

une porte, un avion, une cuillère,
une chauve-souris et un ballon de soccer.

Je cherche cinq pinces à linge, une rose, un poisson
et le reflet du nez d'un cochon;

un biberon, une moustache,
un sabre, un singe et une girafe.

Je cherche un oeil de pirate, une cloche, une clé,
une allumette, un téléphone et un grain de maïs soufflé;

trois coeurs rouges, un cygne, un arrosoir,
dix dominos et un champignon avec un vieillard.

Je cherche un homard, une épée, une planche à roulettes,
un petit drapeau avec un clown, un sac avec un cheval et une raquette;

une poire avec sa queue, un demi-melon d'eau,
un bouton, un panier, un ours et un bateau.

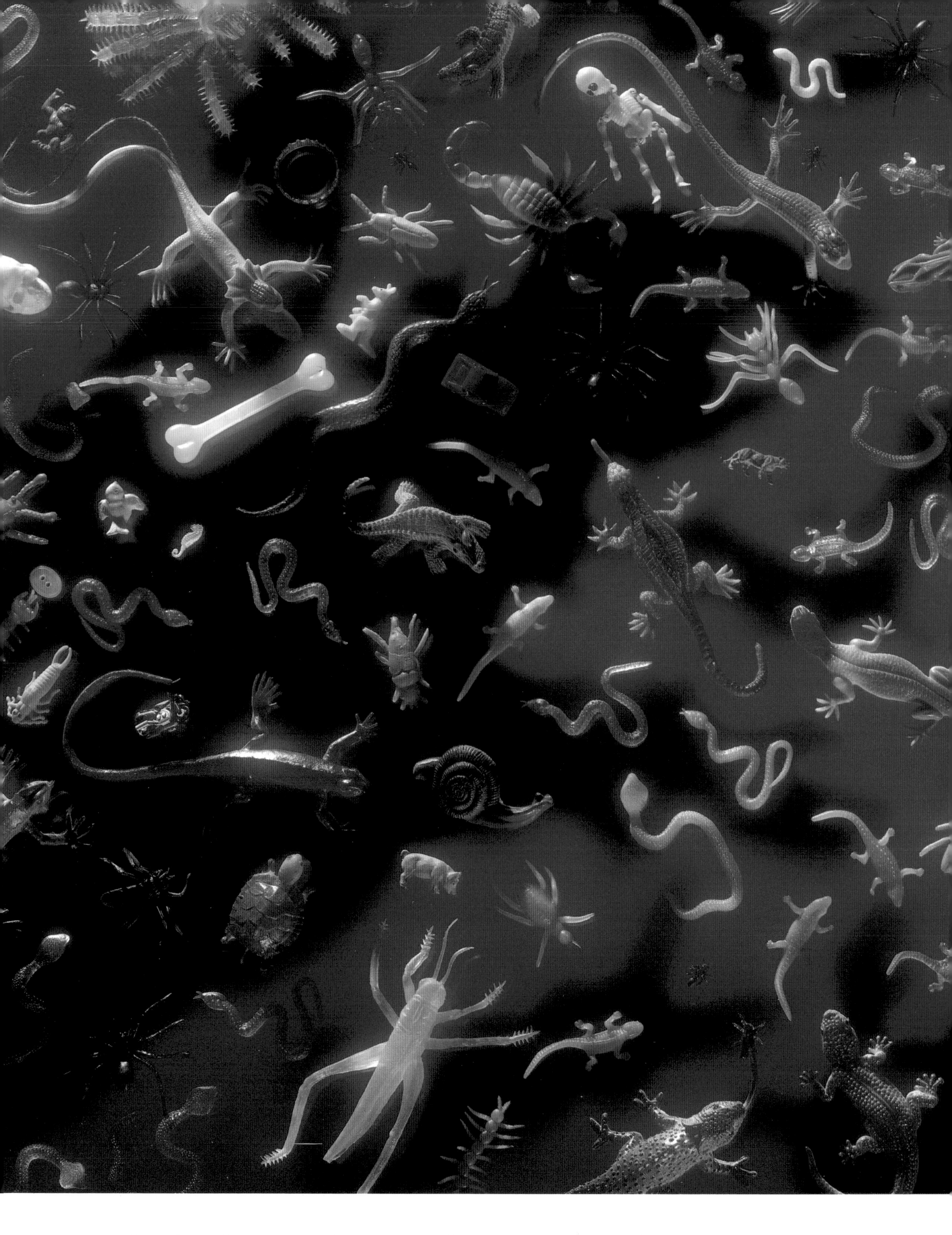

Je cherche un oeil, un petit kangourou, sept fourmis,
un oiseau et une petite trappe à souris;

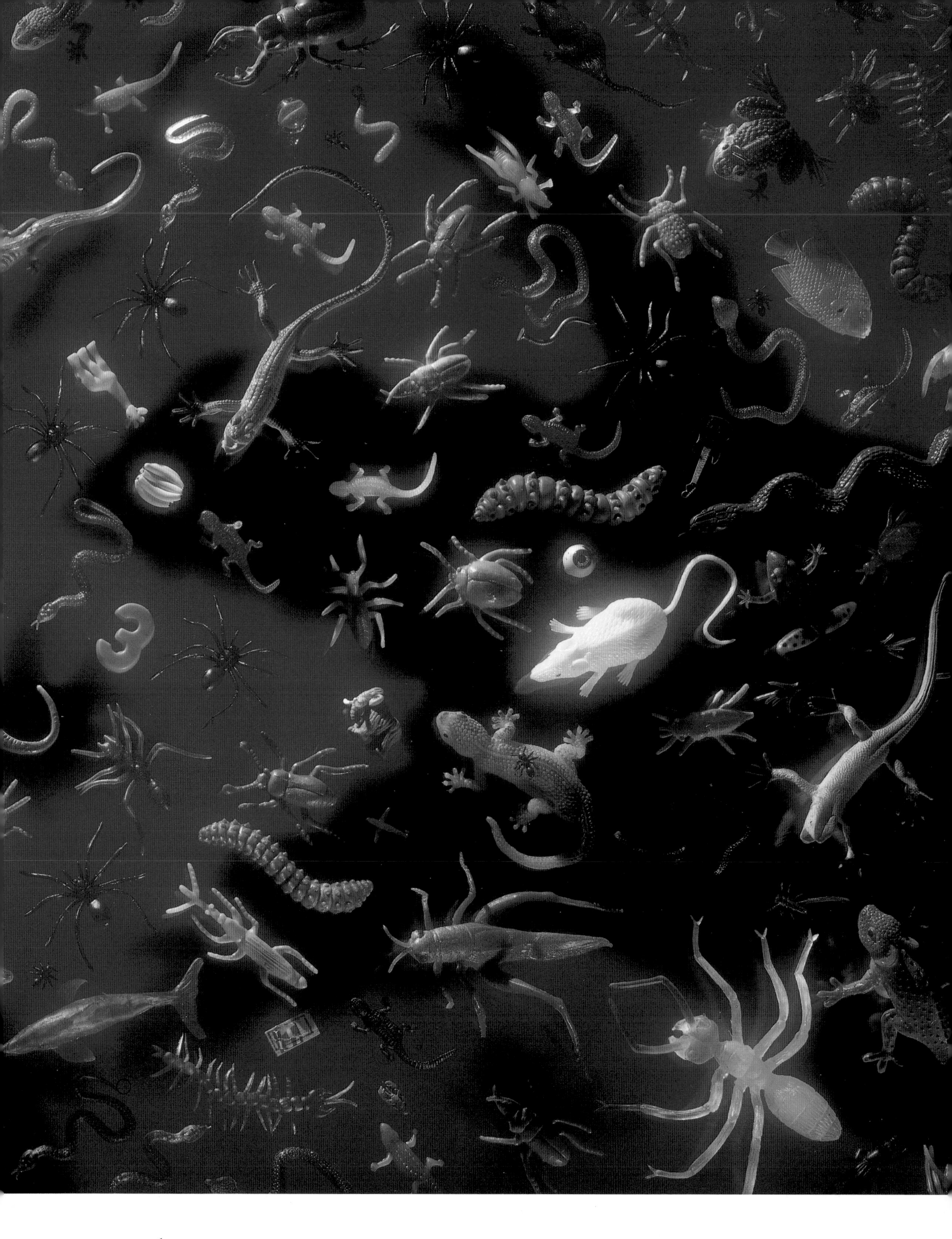

un hippocampe, un requin et une tortue,
un escargot et un clou tout tordu.

Je cherche une voiture de pompiers, une tranche de melon d'eau,
une épingle de sûreté, trois ballons et un marteau;

six becs orange, une libellule verte,
un chapeau de paille et une planche à roulettes.

Je cherche une échelle, deux souris vertes, un casque de pompier, un clown avec des pinces et deux dés;

une panthère, une distributrice de gomme à bulles, une araignée, une abeille sur un nez et une reine courbée.

Je cherche un homme avec une canne, une poire,
une fille qui saute à la corde, une punaise et un canard;

une cuillère, un homme avec une vadrouille et un marteau,
un homme sur un genou, un croissant de lune et deux vélos.

D'autres énigmes à élucider

Qui suis-je?

J'ai de longues oreilles, un museau qui s'agite
et les yeux bleus.
Je suis un __________.
Tu me trouveras dans chaque illustration du livre.

Trouve les illustrations qui correspondent à ces énigmes.

Je cherche une balle de baseball, une chaussure,
une cigogne, une étoile jaune et une petite voiture.

Je cherche un avion, une capsule de bouteille,
des bananes, un 3 et un bout de ficelle.

Je cherche une chauve-souris, un os, le museau d'un panda,
une balle de baseball, une souris et un BANG à l'endroit.

Je cherche une épingle à cheveux, une arachide,
un coquillage, un cygne et une licorne timide.

Je cherche un engrenage et un petit seau rouge,
un palmier et deux drapeaux rouges.

Je cherche un écureuil, un G,
la queue d'un tigre et deux dés.

Je cherche 15 voitures de pompiers, une voiturette
et deux têtes de clown en casse-tête.

Je cherche une trompette, un croissant de lune, un G,
un aimant, un avion ancien et trois épingles de sûreté.

Je cherche un train, une chaussure pour tes clés, une cloche,
un collier de bonbons cassé et une lampe de poche.

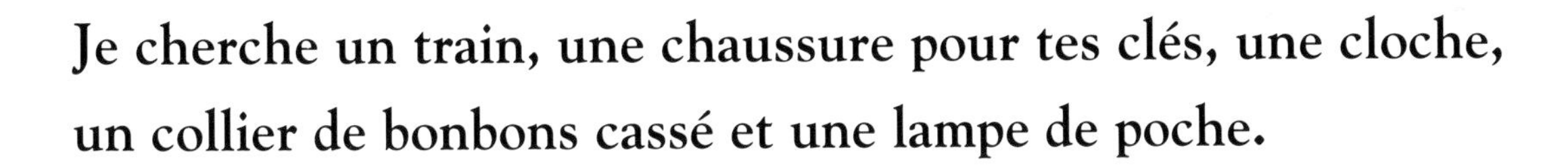

Je cherche une poêle, des brillants bleus qui vont tomber,
un serpent, un phoque avec un ballon et un balai.

Je cherche un cochon, une punaise bleue, un lacet de soulier,
une épingle, un téléphone et une épée.

Je cherche une guitare, un sifflet,
un serpent, une étoile brillante et une clé.

Je cherche un fer à cheval, un tambour, un Y à pois,
une coccinelle et 1-2-3.

Invente tes propres énigmes

Il y a tellement d'objets cachés dans ces pages que tu peux inventer encore bien d'autres énigmes. Écris tes propres énigmes et demande à tes an

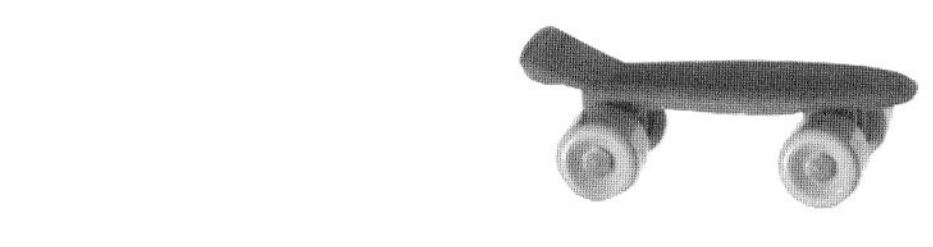

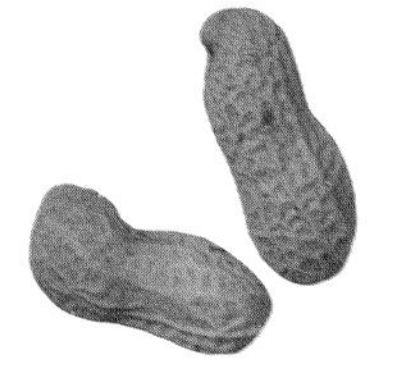

Remerciements

Nous tenons à remercier ici tous les gens de Scholastic qui nous ont aidés à réaliser les livres de la collection *C'est moi l'espion*, en particulier Grace Maccarone, Bernette Ford, Jean Feiwel, Barbara Marcus, Edie Weinberg, John Illingworth, John Mason, Doris Bass, Lenora Todaro, Cathy Lusk, Jeidi Sachner, Michelle Lewy, Jill O'Brien, Arlene Chernenko, Alan Barnes, Mary Marotta, Nancy Smith, John Simko et Linda Savio.

Nous voulons aussi remercier Linda Cheverton-Wick et Molly Friedrich.

Enfin, nous n'aurions pu réaliser ce livre sans la collaboration de Kathy O'Donnell, adjointe à la photographie, Bruce Morozoko, qui a conçu et construit deux des scènes avec Walter Wick, Larry Bramble, un magicien, ainsi que Frank et Ray Hills, qui nous ont prêté leur collection de figurines de cirque.

Comment on a fait ce livre

À l'exception de la scène du clown qui rit et de celle des marionnettes, toutes les scènes ont été conçues et construites par le photographe Walter Wick. Les installations mesurent environ 1,5 m sur 3 m et sont faites de bois, de tissu, de jouets, d'articles de cirque et de miroirs.

Au fur et à mesure qu'une installation est construite, Walter Wick et Jean Marzollo disposent soigneusement les objets qui composent la scène, en prenant plaisir à en cacher un certain nombre. Puis le photographe éclaire la scène pour obtenir des effets d'ombre, de profondeur et d'atmosphère. En dernier lieu il photographie l'installation avec un appareil-photo qui utilis des négatifs de 8 pouces sur 10 pouces. Lorsque la photo est bonne, Walter Wick défait l'installation et s'attaque à la suivante. Les installations ne vivent plus que sur photo et dans l'imagination du lecteur.

Walter Wick est le créateur de plusieurs jeux photographiques Il est le photographe de «C'est moi l'espion». Il a produit plus de 300 couvertures de livres et de magazines. Ceci est le troisième livre qu'il a fait pour Scholastic.

Jean Marzollo, l'auteure de ce livre, a écrit plusieurs livres de comptines pour les enfants.

Carole Devine Carson a réalisé la conception de tous les livres de la collection *C'est moi l'espion*. Elle est directrice artistique d'un important éditeur de New York.